Rentrons à la maison, Petit Ours

Pour David et Amélia
M.W.
Pour Charlie
B.F.

Traduit de l'anglais par Claude Lager
© 1991, l'école des loisirs, Paris, pour l'édition en langue française
© 1991, Martin Waddell, pour le texte
© 1991, Barbara Firth, pour les illustrations
Titre original : «Let's go home, Little Bear», Walker Books Ltd., Londres
Loi numéro 49 956 du 16 juillet 1949 sur les publications
destinées à la jeunesse : mai 1992
Dépôt légal : octobre 2002
Imprimé en France par Jean-Lamour à Maxéville

Rentrons à la maison, Petit Ours

Texte de Martin Waddell
Illustrations de Barbara Firth

Pastel
l'école des loisirs
11, rue de Sèvres, Paris 6e

Il était une fois deux ours,

Grand Ours et Petit Ours.

Grand Ours était le grand ours et Petit Ours était le petit ours.

Grand Ours et Petit Ours se promenaient dans les bois.

Ils marchaient depuis très très longtemps
lorsque Grand Ours dit:
 «Rentrons à la maison, Petit Ours!»
Ils firent demi-tour sur le sentier à travers le bois
et reprirent le chemin de leur grotte.

firent
faire

PLOCH PLOCH PLOCH,

faisait Grand Ours en posant ses grosses pattes sur le sol.

Petit Ours courait devant,   - *courir*

il sautait, il glissait, c'était très amusant! - *glisser*

  Soudain…

Petit Ours s'arrêta. - *arrêter*

Il écouta, se retourna,

regarda à gauche puis à droite.

«Allons, viens, Petit Ours», dit Grand Ours.

Mais Petit Ours ne bougeait pas. *bouger*

«J'ai entendu un bruit», dit Petit Ours.

«Qu'as-tu entendu?» demanda Grand Ours.

«Ploch ploch ploch», dit Petit Ours.

«Je crois qu'il y a quelqu'un!» *croire*

Grand Ours s'arrêta. Il écouta, se retourna,

regarda à gauche puis à droite.

Mais il ne vit personne. *voir*

«Rentrons à la maison, Petit Ours»,

dit Grand Ours. «Ce sont mes pattes

qui font "ploch ploch ploch" sur la neige.»

Ils se remirent en route
sur le sentier à travers bois.
PLOCH PLOCH PLOCH,
faisait Grand Ours.
À ses côtés, Petit Ours avançait
en jetant de temps en temps
un petit coup d'oeil à gauche puis à droite.
    Soudain…
Petit Ours s'arrêta, il écouta, se retourna,
regarda à gauche puis à droite.

«Allons, viens Petit Ours», dit Grand Ours.

Mais Petit Ours ne bougeait pas.

«J'ai entendu un bruit», dit-il.

«Qu'as-tu entendu?» demanda Grand Ours.

PLIC PLIC dit Petit Ours.

«Je crois que quelqu'un nous regarde.»

Grand Ours s'arrêta.
Il écouta, se retourna,
regarda à gauche puis à droite.
Mais il ne vit personne.
«Rentrons à la maison,
Petit Ours. Ce "plic plic",
c'est le bruit de la glace
qui tombe dans le ruisseau»,
dit Grand Ours.

Ils se remirent en route

sur le sentier à travers bois.

PLOCH PLOCH PLOCH,

faisait Grand Ours.

Petit Ours marchait tout contre lui.

  Mais soudain…

Petit Ours s'arrêta.

Il écouta, se retourna,

regarda à gauche puis à droite.

«Allons, viens, Petit Ours», dit Grand Ours.

Mais Petit Ours ne bougeait pas.

   «Cette fois, j'ai entendu un bruit,

   j'en suis sûr», dit Petit Ours.

«Qu'as-tu entendu?» demanda Grand Ours.

   «Plop plop plop», dit Petit Ours.

   «Je crois que quelqu'un nous suit…»

Grand Ours s'arrêta.

Il écouta, se retourna,

regarda à gauche puis à droite.

Mais il ne vit personne.

«Rentrons à la maison, Petit Ours»,

dit Grand Ours. « Ce "plop plop",

c'est la neige qui tombe d'une branche.»

PLOCH PLOCH PLOCH ,

faisait Grand Ours

sur le sentier à travers bois.

　Petit Ours, lui,

marchait de plus en plus lentement.

Finalement, il s'assit dans la neige.

«Allons, viens, Petit Ours»,
dit Grand Ours, «rentrons à la maison.»
Mais Petit Ours restait assis
sans rien dire.
«Viens», dit Grand Ours,
«je vais te porter.»

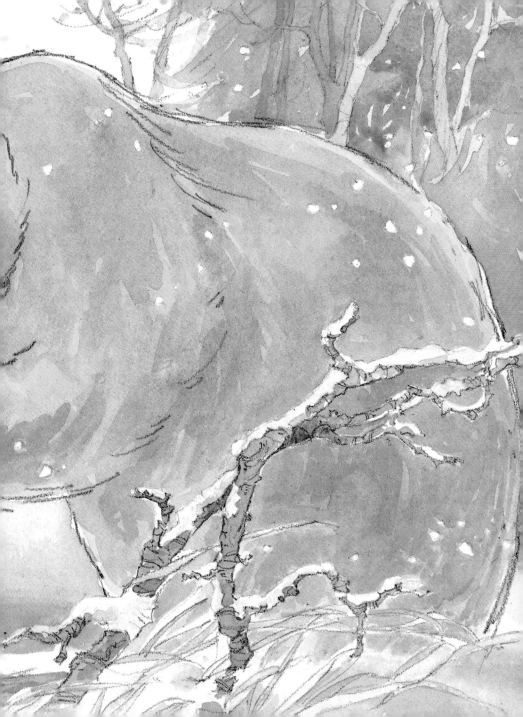

Grand Ours assit Petit Ours sur ses épaules
et se remit en route sur le sentier à travers bois.

HOU HOU HOU
«Ce n'est que le vent qui souffle, Petit Ours»,
dit Grand Ours en poursuivant son chemin.

CRAC CRAC CRAC
«Ce ne sont que les arbres qui craquent, Petit Ours»,
dit Grand Ours en poursuivant son chemin.

PLOCH PLOCH PLOCH

«Ce n'est que le bruit de mes pas
dans la neige», dit Grand Ours.
Et il poursuivit son chemin
jusqu'à ce qu'ils arrivent chez eux.

Grand Ours et Petit Ours
descendirent dans leur grotte.
Il y faisait noir, tout noir.
Ils étaient enfin à la maison.

Grand Ours réchauffa Petit Ours
en l'enveloppant dans une couverture
et l'installa dans son fauteuil d'ours.
«Reste là, Petit Ours»,
dit-il en secouant les braises
pour activer le feu.
   Ensuite, il alluma la lampe
et la grotte retrouva toute sa chaleur
et son intimité.
   «Raconte-moi une histoire»,
   dit Petit Ours.

Grand Ours s'assit dans son fauteuil d'ours,

Petit Ours pelotonné sur ses genoux,

et il raconta l'histoire

d'un petit ours et d'un grand ours

qui cheminaient sur un sentier

à travers une forêt

pleine de bruits étranges.

Grand Ours raconta son histoire

jusqu'à la…

FIN